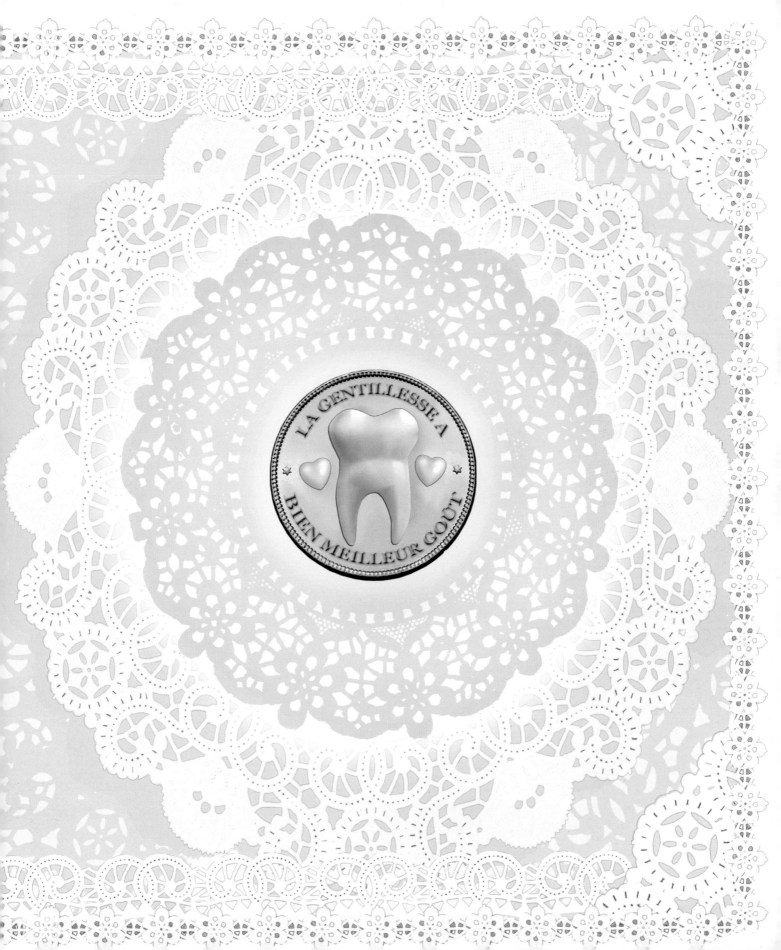

Argenlicieux

TEXTE ET ILLUSTRATIONS DE
Victoria Kann

TEXTE FRANÇAIS D'HÉLÈNE PILOTTO

Éditions SCHOLASTIC

À: David

Pour l'inspiration, merci à : Tootharina, Dentistina, Azealette, M. Molar, Myanna, Jason, Bianca, Fairmine et à tous nos amis magiques!

Édition publiée par les Éditions Scholastic,
604, rue King Ouest, Toronto (Ontario) M5V 1E1,
avec la permission de HarperCollins Publishers.

5 4 3 2 1   Imprimé au Canada   119   11 12 13 14 15

Catalogage avant publication de Bibliothèque et Archives Canada

Kann, Victoria
Argenlicieux / Victoria Kann ; texte français d'Hélène Pilotto.

Traduction de: Silverlicious.
Pour les 3-8 ans.
ISBN 978-1-4431-1430-1

I. Pilotto, Hélène II. Titre.

PZ23.K36Ar 2011   j813'.6   C2011-901345-2

Merci à Christina,
Leigha, David et Patricia
pour leur contribution
artistique.

FSC
MIXTE
Papier issu de
sources responsables
FSC® C103113
www.fsc.org

10%

J'ai une dent qui bouge. Elle bouge depuis des jours.

Je tire sur ma dent au déjeuner. Je la fais encore bouger au dîner.
À l'heure de la collation, je vois Pierre manger un biscuit chocolicieux.
Je le lui arrache des mains et y mords à belles dents.
— Regardez! Ma dent est tombée! YOUPI!
Mais quelque chose ne va pas.

— OH NON, MAMAN! Ce n'était pas N'IMPORTE QUELLE dent... c'était ma DENT SUCRÉE! Le biscuit n'a plus de goût. On dirait... de la terre!

— Ma pauvre chérie! Tu as perdu ta dent sucrée! s'exclame maman.

— Mais c'est épouvantable! s'écrie papa.

— Ça t'apprendra à me voler mon biscuit! pleurniche Pierre.

— Je ne peux pas vivre sans ma dent sucrée...

Oh... je sais, dis-je en attrapant mon fabuleux stylo rose.

Chère fée des dents,
Je viens de perdre ma dent sucrée. Que faut-il faire?
Seriez-vous assez gentille pour m'envoyer quelque chose de sucré en attendant que la nouvelle dent pousse?
Bisous,
Rosélicieuse

Je glisse la lettre sous mon oreiller, à côté de ma dent, et je garde l'œil ouvert toute la nuit. J'ai toujours rêvé de voir la fée des dents!

Driiiing! Driiiing! fait mon réveil rosélicieux.

J'ai dû m'endormir! Je cherche ma dent sous mon oreiller, mais

elle a disparu. À la place, je trouve trois cœurs à la cannelle et une lettre.

Je t'aime

GROS BISOUS

Très chère Rosélicieuse,

Comment vas-tu? Dentina, la fée qui se charge personnellement de tes dents, était occupée la nuit dernière. En effet, une fillette de Nouvelle-Zélande se faisait arracher les molaires. Dentina a dû se rendre auprès d'elle pour la réconforter. Comme ses ailes sont minuscules, il lui a fallu beaucoup de temps pour voler jusque-là. Dentina m'a donc demandé de t'aider. J'espère que tu ne lui en veux pas.

Avec amour,

Cupidon

Cadeau d'amour sincère

J'appelle mon frère :

— Pierre, viens vite! Cupidon est passé!

— L'as-tu vu? Hein? L'as-tu vu? me demande-t-il.

— Non, je l'ai raté. J'ai dû m'endormir. Regarde : il m'a laissé des bonbons.

Je mets quelques cœurs à la cannelle dans ma bouche et m'écrie aussitôt :

— POUAAAAAH! On dirait des piments! Ma bouche est en feu! Ça goûte

le charbon!

— Miam! Je les trouve bons, moi, dit Pierre. Et regarde tous ces cœurs. Cupidon doit beaucoup t'aimer.

— Cupidon aime TOUT LE MONDE! Où est ma fée des dents? Je veux MA FÉE DES DENTS! dis-je en tapant du pied.

COUCOU!

Meilleurs vœux

J'élabore un plan : rester éveillée toute la nuit
et photographier Cupidon pour le montrer à mes camarades
de classe. Mon appareil photo est prêt!
Voilà ma lettre :

Cher Cupidon,
Merci beaucoup pour
les cœurs à la cannelle.
Malheureusement, ILS
ÉTAIENT INFECTS!!!!
Je préférerais quelque
chose de sucré.
Bisous,
Rosélicieuse

Driiiing! Driiiing! fait mon réveil rosélicieux.
Je me suis encore endormie! Où est ma lettre? À la place, je
trouve trois bonbons haricots et un nouveau message.

Chère Rosélicieuse,

C'est scandal-œufs!

Les bonbons n'étaient pas assez sucrés pour toi? Hier, le pauvre Cupidon a eu le cœur brisé en voyant que tu n'avais pas aimé ses bonbons. Il m'a demandé de t'aider. D'habitude, à cette période de l'année, je pars faire un fabul-œufs voyage en Œufs-rope, mais je vais essayer de t'aider. J'espère que tu aimeras mes bonbons haricots!

Salutations sucrées,

Le lapin de Pâques

P.-S. : Dentina est en Inde. Elle aide un éléphant qui a un gros mal de défense.

Je goûte les bonbons haricots. C'est comme si je mangeais une poignée de cailloux. Je les recrache en gémissant :

— BEURK! Ils ont un goût abominable! Et regarde toutes les empreintes que ce lapin a laissées dans ma chambre!

— Quel est le problème? demande Pierre. Regarde un peu tous les œufs qu'il t'a apportés!

Il attrape un panier et les ramasse.

Le soir, j'écris une nouvelle lettre. Je prépare mon appareil photo et je me munis d'un filet pour attraper le lapin de Pâques, au cas où il oserait venir à nouveau sautiller partout dans ma chambre. Ce soir, c'est sûr, je reste éveillée.

Cher lapin de Pâques,
Merci beaucoup pour les œufs.
Malheureusement, comme j'ai perdu ma dent sucrée, les bonbons haricots n'avaient AUCUN GOÛT! S'il te plaît-plaît-plaît, sois gentil et demande à Dentina de m'apporter quelque chose de sucré.
Bisous,
Rosélicieuse

Driiiing! Driiiing! fait mon réveil rosélicieux.

Je me suis ENCORE endormie! Cette fois, je trouve trois cannes de Noël et ceci.

Chère Rosélicieuse,

Je suis tellement content de pouvoir faire une pause. La fabrication des jouets est un travail qui m'occupe matin, midi et soir. Je devrais changer d'emploi : c'est bien mieux, fée des dents! Dentina a dû s'envoler vers le Japon pour voir un petit garçon à qui l'on ôtait enfin son appareil orthodontique. Elle m'a demandé de te donner un coup de main.

Passe une journée très joyeuse!

Le lutin numéro 351

Je goûte à une canne de Noël et grimace. On dirait du dentifrice durci.

— AAARK! En plus, ma chambre est sens dessus dessous et il y a de la neige partout!

— Penses-tu qu'il a laissé des jouets? demande Pierre. Tu en as de la chance! Moi, quand je perds une dent, je n'ai que deux ou trois pièces de monnaie sous mon oreiller.

— Mais moi, je veux que la fée des dents m'apporte quelque chose de sucré. Je veux quelque chose qui ait bon goût en attendant que ma nouvelle dent sucrée ait poussé. Je veux voir Dentina.

Ce soir-là, je suis prête.

Cher lutin numéro 351,

Merci beaucoup pour les cannes de Noël. Malheureusement, elles n'avaient pas bon goût. Alors s'il te plaît-plaît-plaît, je t'en supplie, sois gentil et demande à Dentina de m'apporter quelque chose de sucré.

Rosélicieuse Desrosiers

Driiiing! Driiiing!
fait mon réveil rosélicieux.

Je ne l'entends pas. Quand je m'éveille enfin,
je ne trouve RIEN! Ma lettre a disparu, mais il n'y a rien
à la place. Je suis tellement déçue. Pas de nouvelles de Cupidon
ni du lapin de Pâques ni même du lutin 351.

C'est alors que j'aperçois un petit morceau de papier tout riquiqui, posé sous ma chaise à côté de trois pièces de monnaie en argent.

Chère Rosélicieuse,

Le côté sucré des choses vient de l'intérieur. Quand tu es gentille, le monde autour de toi et toutes les bonnes choses qu'il contient prennent à leur tour un goût sucré!

Amitiés,

Dentina

P.-S. : N'oublie pas de te brosser les dents et de passer la soie dentaire après chaque repas!

Hein? Qu'est-ce que ça veut dire, ÇA? Je n'ai donc pas été gentille?

C'est vrai. Ce n'était pas gentil de mordre dans le biscuit chocolicieux de Pierre, de taper du pied ou de recracher les bonbons. J'aurais pu être plus gentille avec Cupidon, le lapin de Pâques et le lutin 351... J'ai eu de la chance qu'ils viennent tous me rendre visite. Je décide d'écrire une autre lettre :

Chers Cupidon, lapin de Pâques, lutin numéro 351 et Dentina,

Merci beaucoup d'avoir trouvé un moment dans vos emplois du temps chargés pour me rendre visite et merci pour les cœurs à la cannelle, les bonbons haricots, les cannes de Noël et les trois pièces de monnaie en argent. Je suis désolée de ne pas avoir été reconnaissante. Vous avez embelli ma chambre avec vos décorations. Vous êtes toujours les bienvenus chez moi!

Bisous,
Rosélicieuse

P.-S. : Revenez vite, tous les quatre!
Pierre

Je plie ma lettre et la mets de côté pour plus tard. Je me sens bien mieux à présent.

— Hé, Rosélicieuse, as-tu remarqué que les pièces de monnaie sont en chocolat? me lance Pierre en me les chipant et en gambadant dans toute la chambre.

— Pierre, je te donne les pièces
en chocolat parce que D'HABITUDE,
tu es un bon frère, lui dis-je
gentiment.

— Hein? Euh... Non, je ne les veux
pas. Je te les rends. Je suis désolé
de te les avoir prises, bredouille-t-il
en me les redonnant.

— Et si on les partageait? MIAM! Ces chocolats sont ARGENLICIEUX! dis-je en croquant dans une pièce.

Ça y est, j'ai retrouvé le goût du sucré! Hourra! Dorénavant, je serai toujours gentille, parce que la gentillesse... a bien meilleur goût!

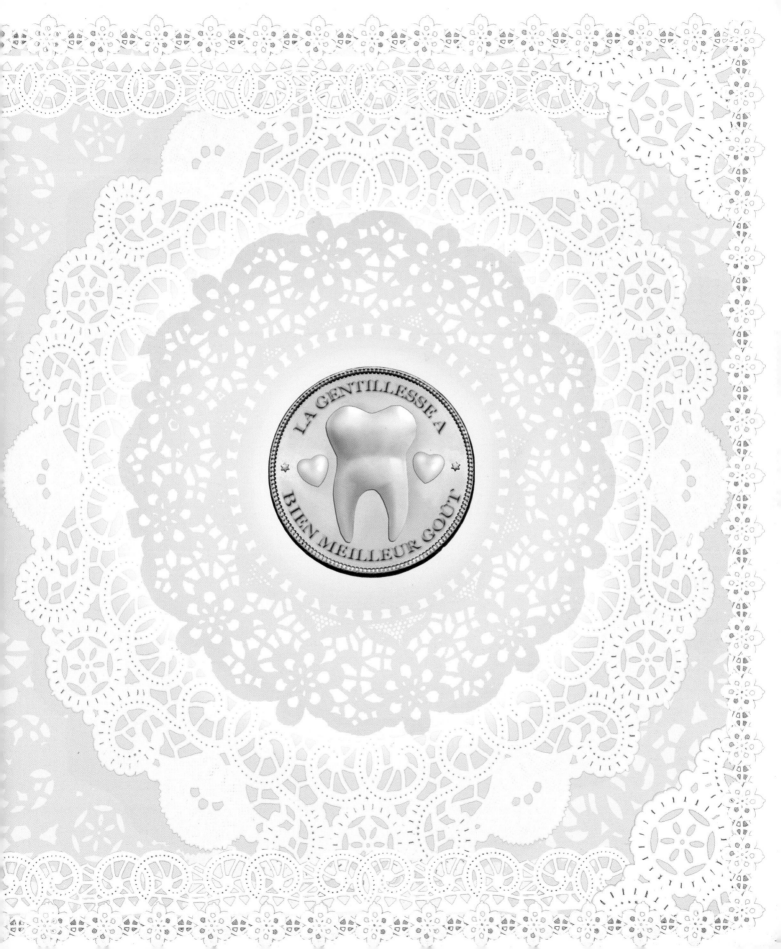